Tristan Demers
THE TRASH PACK
LES CRASSEUX DANS VOTRE POUBELLE !
BANDE DESSINÉE 5
POUBELLES ET REBELLES

Conception, histoires et découpage
Tristan Demers

Crayonnage
Jocelyn Jalette

Encrage et couleurs
Fabien Rypert

Couverture
Yohann Morin

Idées de gags
Frédéric Antoine

Publié par Presses Aventure
une division de Les Publications Modus Vivendi inc.
55, rue Jean-Talon Ouest
Montréal (Québec) H2R 2W8
CANADA

groupemodus.com

Éditeur : Marc G. Alain
Responsable de collection : Marie-Eve Labelle
Designers graphiques : Bruno Ricca et Gabrielle Lecomte
Révision éditoriale : Catherine LeBlanc-Fredette
Correctrices : Christine Barozzi et Catherine LeBlanc-Fredette
Photographe de l'auteur : Valérie Laliberté

ISBN 978-2-89751-252-1

Dépôt légal — Bibliothèque et Archives nationales du Québec, 2016
Dépôt légal — Bibliothèque et Archives Canada, 2016

Nous reconnaissons l'aide financière du gouvernement du Canada par l'entremise du Fonds du livre du Canada pour nos activités d'édition.

Gouvernement du Québec — Programme de crédit d'impôt pour l'édition de livres — Gestion SODEC

Imprimé en Chine

BANDE DESSINÉE 5

POUBELLES ET REBELLES

Tristan Demers

PRESSES AVENTURE

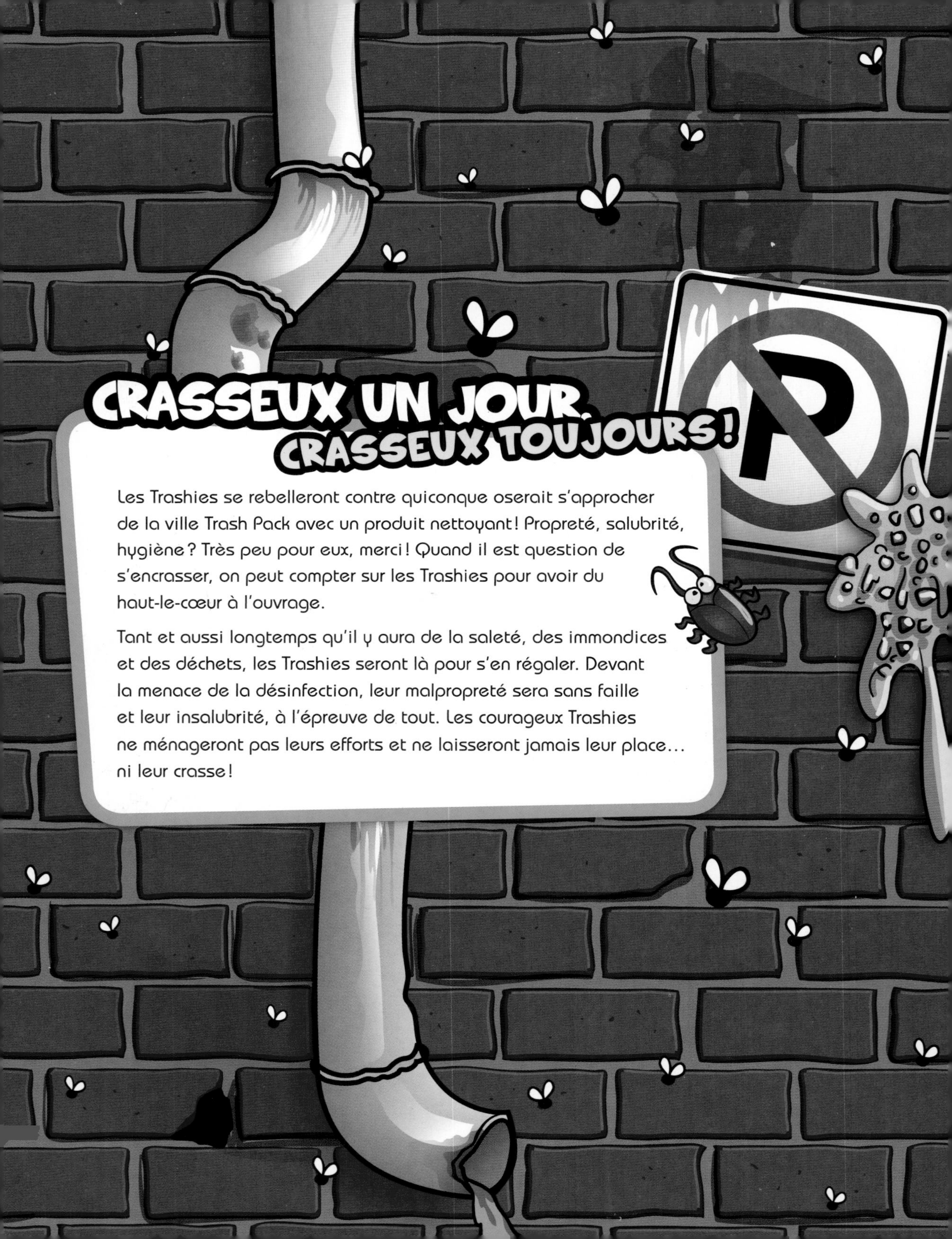

CRASSEUX UN JOUR, CRASSEUX TOUJOURS!

Les Trashies se rebelleront contre quiconque oserait s'approcher de la ville Trash Pack avec un produit nettoyant! Propreté, salubrité, hygiène? Très peu pour eux, merci! Quand il est question de s'encrasser, on peut compter sur les Trashies pour avoir du haut-le-cœur à l'ouvrage.

Tant et aussi longtemps qu'il y aura de la saleté, des immondices et des déchets, les Trashies seront là pour s'en régaler. Devant la menace de la désinfection, leur malpropreté sera sans faille et leur insalubrité, à l'épreuve de tout. Les courageux Trashies ne ménageront pas leurs efforts et ne laisseront jamais leur place… ni leur crasse!

Grip'Chat, je suis si triste! Je suis tellement malade que je ne pourrai pas aller à la sortie scolaire. J'avais si hâte de visiter les égouts!
Oh! Pauvre toi! Il paraît qu'ils sont si mal entretenus que l'air y est irrespirable! Ça semble génial! Mais comment as-tu attrapé ta maladie?
Je n'en ai aucune idée!
Trois jours plus tôt...
Ouah! Les microbes, les virus et les germes font toujours les meilleures fêtes!
As-tu goûté à la salsa? Elle est si bonne que tout le monde y trempe plusieurs fois sa chips!
Le plaisir est contagieux!

Grip-En-Forme, c'est quoi, ce cadre caché dans le fond de ton tiroir?
Oh! Je croyais l'avoir perdu! C'est un précieux souvenir de ma maison d'enfance!

Il s'agit d'un poil d'aisselle de la personne sur laquelle je suis né! Je m'y blottissais avec toute ma famille dans le temps. Snif!
Que de bons souvenirs! Tiens, je vais l'accrocher dans mon salon...
?!

J'ai des trous ces temps-ci. Ça commence à m'inquiéter.
C'est normal pour un gruyère d'avoir des trous.
Je parle de trous de mémoire. J'oublie tout ce que je fais ou ce que je dis.
Ah bon? Et depuis quand?
Depuis quand quoi?

Génial! Un nouvel arrivage de déchets! On regarde ce que le camion vient de déposer?
Bonne idée!

C'est bizarre, il règne une odeur étrange, par ici... On dirait des effluves de propreté! Yaaark!

HAAAA!!! DU DÉODORANT!!! Sauvez-vous avant de sentir bon et d'avoir l'air propres!
MMMM! MOUH MMMM! HMMM!!!
DÉODORANT
En plus, il est encore intact! Evidemment! Qui aurait l'idée d'utiliser une chose pareille!?

Mammouth, que fais-tu quand tu as trop d'asticots sur toi? Ils doivent t'empoisonner la vie par moments!
J'ai trouvé une façon efficace de renouveler la population de mes parasites. Regarde.

?
SNIRF!

???
Tu les aspires et les recraches, tout simplement?
C'est comme passer l'aspirateur.

Bienvenue au centre sportif Crasseux! Ici, vous trouverez tout ce qu'il faut pour bouger et vous amuser : piscine de morve à vagues, cours de karacroté, équipe de hockey sur crasse, salle de gymnastique non sécuritaire, terrain de football entièrement recouvert de boue, entraîneurs non qualifiés et course à obstacles de poubelles en putréfaction! De plus, nous offrons l'accès illimité aux microbes dans les vestiaires!

N'y pense même pas! Elle est à moi, compris?
Je l'ai vue en premier!

Hééé! Salut les amis, en forme?
Que veux-tu, toi?
Ah non, lui, il parle beaucoup trop!

Mais alors! C'est quoi cet accueil? Moi, je suis trop content de vous voir! Imaginez-vous donc qu'il y a tellement de crasse sur mes ailes que bla bla bla...

Oh wooow! Elle est chouette, la poubelle! Dites, je peux l'avoir? Et c'est pour quoi, la pédale, là?
Montre-lui à quoi elle sert, la pédale, Sal'Hermite!

AAAAAAAAAH!
C'est pour chasser les indésirables!
BANG!
PAF!
Non, mais! Nous voler notre poubelle...

PTFRUiiiiT!

PTRUUUUiiTF!

PTUUUiiiii!

Le premier prix de notre sifflothon va à... Bouilloire Sotte!
C'est injuste! Pour elle, c'est naturel!
Ouais, retire-toi du concours!
GRAND SIFFLOTHON
Vite, un recomptage! Allez!

Mouais, pas mal... Je comprends ton envie d'exposer tes toiles, mais... n'est-ce pas un peu redondant?
Tu as du talent, mais ce n'est rien de nouveau en soi. Démarque-toi des autres araignées et tu trouveras ton style au fil du temps.

POP!
POP!
PAF!
Cerveau Bouilli est si mauvais perdant qu'il feint de s'évanouir chaque fois que je gagne.
?

Je suis certain de te battre à cette course.
On verra bien. J'ai l'habitude de relever des défis...

En plus, je suis très doué pour mettre du piquant dans une course!

Me voici! Notre plan fonctionne toujours?
Pimenté! Merci d'être là!

Une petite bouchée... Et c'est parti!
CROUNCH!

Auto De Démolition est en feu!
Tricheur! Tu as eu de l'aide!
VRRRR!
Ouais! Trop fort! Voilà qui vient pimenter la course!

Je suis le plus vieux des Trashies et ce miroir me le rappelle tous les jours.

J'ai décidé d'utiliser une crème miracle à la morve de coquerelle!
Mais où as-tu pris une telle horreur?
Je l'ai vue à la télé.

À ton âge, tu devrais savoir qu'il ne faut pas croire tout ce que l'on voit à la télé!

Et voilà! J'ai maintenant l'air d'un mignon bébé tortue!
Je n'en dirais pas tant... Mais maintenant, tu es propre et ça, c'est dégueulasse!

Hé! Ne le lance pas trop loin!
J'ai le bras puissant! Hé! Hé!
Ça y est! On l'a perdu derrière le conteneur à déchets.
T'inquiète pas, on va bien s'en trouver un autre.
Salut! Qu'est-ce que vous faites?
Hé! On est si heureux de te voir! Ça roule?
Euh... Pourquoi tant d'enthousiasme?
Un couvercle, c'est encore mieux!
T'as raison, il fend l'air!
Grrr! C'est pas cool, les gars!

SAVON

J'adore ton odeur! Quel est ton parfum?
J'utilise un savon au foie de morue et aux excréments de ratons. J'aime me sentir bien sale.

Par ici, peut-être? Ou plus loin?

C'est trop creux, je vais remonter un peu...

Ah, je vois la lumière au bout du tunnel!

Voilà! J'ai retrouvé ton vieux biscuit au fond du fauteuil!
Merci, je vais me régaler!

C'est difficile d'interagir avec une poule congelée! Son attitude est plutôt froide et elle reste de glace face à mes blagues... On peut la faire fondre?
Je ne crois pas... Mais as-tu goûté à ses œufs? Sur un bâton, ça fait une excellente friandise glacée!

?
Garçon! Venez immédiatement, j'ai un problème avec mon repas!
Ah bon? J'arrive.

Regardez ces bulles qui apparaissent à la surface de mon potage. Est-ce normal?
Je vois ce que c'est.

Acavaurien! Combien de fois t'ai-je dit d'attendre en soirée avant de nettoyer les bols?!
Oups! Désolé, patron!
?!

Le premier qui le trouve sous une pierre gagne la partie.
Vas-y, Grip'Chat!

Feras-tu mieux que Virus Fou'D'Balle, notre gagnant de l'an dernier?
À toi, Germ'Astique!

Bravo, Diarr-Idicule, tu as gagné!
Je l'ai! Yahouu!
Coucou!

Ne sois pas fâché, Virus Fou'D'Balle, c'est la vie!
Grrrr...

Ça te dirait de faire la fête ce soir? J'ai envie d'une soirée qui va passer à l'histoire!
Oh! Je connais l'endroit parfait pour ça!

Il y a plein de gens comme nous qui s'y tiennent, dont des dinosaures! Et attends de voir ce que l'on va nous raconter : des aventures incroyables!
Wow! Ça semble génial!

Plus tard dans la soirée...
Je ne pensais pas sortir dans un musée d'histoire naturelle! Tu as déjà essayé de converser avec un fossile?
Mais de quoi te plains-tu? Tu l'as, ta soirée historique! Moi, je trouve que l'ambiance est super.

GARAGE
Quand vous aurez fini le plein d'essence, vous pourrez vérifier les pneus?
Oui, bien sûr! Un, deux, trois, quatre... C'est bon, ils sont tous là!

C'est gentil de m'inviter à dîner!
J'ai préparé un véritable festin, on va se régaler!
Dinde à la cire d'oreille, huîtres avariées et bouchées de litière.
Miam! Tout ça pour moi?
CRAC!
CROUCH!
CROC!
BURP!
Merci, mon vieux, c'était exquis! La prochaine fois, ça sera chez moi.
Euh... C'était bien un buffet pour trois personnes?
BURP!
Je n'aurais pas dû manger les ustensiles, j'ai mal au ventre...

Salut! C'est la fête d'une amie ce soir et j'aimerais lui offrir des fleurs.
FLEURISTE
Œillets? Roses? Marguerites? Tulipes?
Aucune idée.

Ces fleurs n'ont pas encore eu le temps de flétrir. Il est impensable de les offrir comme ça.
Je peux régler ce petit problème en quelques secondes!
?
Fièvr'Frisson, tourne-toi vers moi.

Et voilà! Un peu d'insecticide ultra puissant devrait les ramollir pour de bon!
PSHHH
Theu! Theu! J'en ai dans les yeux, attention!

Wow! Des fleurs mortes et puantes? Merci! Tu es le plus gentil des virus fiévreux!
Je les ai choisies en pensant à toi. C'est l'expression de mon amitié!

J'ai terminé de peindre ma porte de chambre! J'adore le nouveau style de mon taudis.

côté de
et je ne
plus sortir!

Fourmicrobe! Il n'y a que toi pour me sortir du pétrin!

Tasse-toi, me voici! Je suis le champion pour ouvrir les portes coincées!

Pour les détruire, tu veux dire! Hi! Hi! Merci, mon vieux!
Mon père était serrurier, mais j'ai développé une technique plus directe.

Ce que je m'ennuie, seule sur un excrément. Si seulement j'avais quelqu'un avec qui m'amuser...

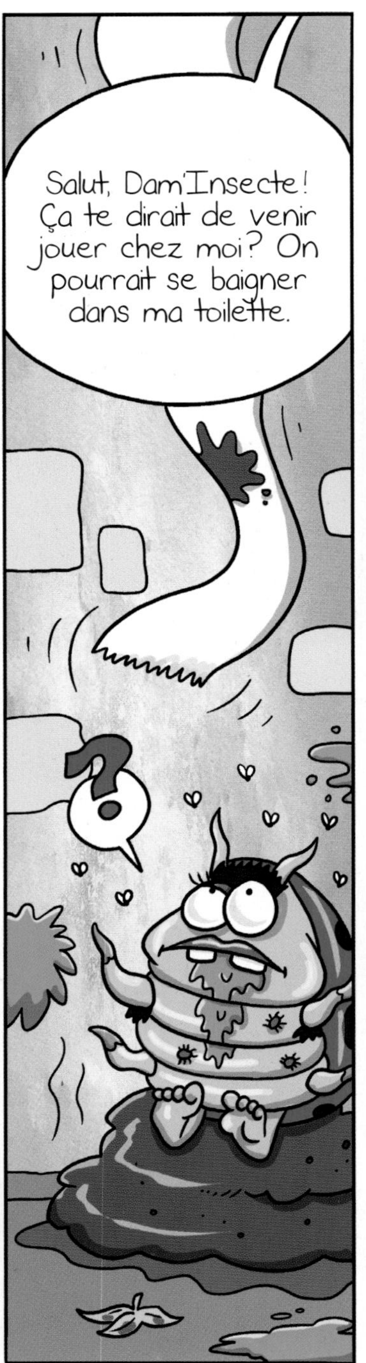
Salut, Dam'Insecte! Ça te dirait de venir jouer chez moi? On pourrait se baigner dans ma toilette.
?

Tu vas voir, le courant est super quand on tire la chasse d'eau! On va bien rigoler!
Tu tombes bien, Torcheur! Comment résister à une telle invitation?!

Normalement, ces deux-là devraient s'entendre comme chien et chat!
Pourtant, les virus, les puces, la crasse et les maladies les unissent! Ils sont beaux à voir!

Tu devrais lui parler de ton idée, Boîte À Pourrier. Il a l'air brillant, on verra bien ce qu'il en pense.
Eh bien voilà : désormais, j'attendrai que les lettres moisissent avant de les livrer aux résidents de la ville.

Yééé! Il vomit! Il est donc d'accord!
Il n'est pas bavard, mais son enthousiasme est évident! J'adore sa franchise!

BONG!
BONG!
BONG!
Avant, c'était moi que l'on préférait. Snif...
Ne t'inquiète pas, tu demeures le plus rebondissant.

Ne sois pas triste, Matelas Moisi. J'ai juste fabriqué un trampoline avec mon excédent de morve!
C'est l'attrait de la nouveauté! On va retourner sauter sur toi bientôt!
BONG!
BONG!
BONG!
Au moins, je n'ai pas le rhume...

Tu vois? Je t'avais bien dit qu'une fois complètement déroulé, je serais le plus grand des Trashies!
Ver Solitaire! Cesse de te tortiller dans tous les sens! Tu vas te faire mal!

J'ai apporté les saucisses! Tu as les guimauves?
Bien sûr! C'est un incontournable!
Si Torch'Flamme peut arriver, on va se régaler!

Me voici, les gars! Désolé du retard...
Salut! Allez, viens t'installer!
Ah! Enfin une soirée relax entre amis!

Pfff... Chaque fois que l'on m'invite en camping, je passe mon temps à travailler.
Beau feu de camp!
Allez, Torch'Flamme, chante-nous une petite chanson!

Mais qui est l'imbécile d'en dessous qui me tire la queue et se prend pour Tarzan!?
Alors Ti-Python, et tes nouveaux voisins?
Ouh! Cette nouvelle maison est parfaite pour moi! Il y a même une liane. Je vais pouvoir me tenir en forme!

Mais bien sûr que les cerveaux peuvent se faire des muscles! En t'inscrivant à mon gym, tu pourras faire travailler tes méninges et devenir une véritable tête forte comme celle-ci!
Ouah! C'est ce que l'on appelle de la force mentale!

Tu es seul ici? Ta famille n'habite pas avec toi?
Oui, mais je ne l'ai pas vue depuis Noël.

Depuis Noël?!! Mais c'était il y a quatre mois!

Pendant ce temps...
Mon beau sapin, roi des déchets...
Je n'en peux plus, des chansons de Noël!
C'était l'idée à qui déjà de passer les fêtes en famille dans un sapin?
On aurait dû y penser, que dans la ville Trash Pack, les décorations traînent toujours pendant des mois après Noël.

Quelqu'un a répondu à notre annonce?
Oui! Nous avons enfin notre premier client!
TAP! TAP!

Quelle idée géniale d'offrir aux gens d'aller promener leurs animaux domestiques!
Grace à cela, nous pourrons nous procurer des billets pour le spectacle de Rock'Cafard!

J'espère que je n'aurai pas à passer la journée avec ce baveux de Rôt'Weiler!
J'espère bien que non... Quel immature, celui-là!

Alors, on a rendez-vous aujourd'hui? Ça me démangeait de passer la journée avec une puce!
Grrr! Il ne sait même pas faire la différence entre une puce et une coccinelle!

On dira ce qu'on voudra, mais ces deux-là sont de toute évidence faits pour s'entendre!

Regarde, je viens de terminer ce casse-tête ultra rapidement!
C'est bien... En combien de temps l'as-tu fait?

Oh, très rapidement. Deux heures seulement!
Ce n'est pas si exceptionnel.

Mais si! Sur la boîte, c'est écrit de 2 à 4 ans. Moi, je l'ai terminé beaucoup plus vite que ça!

Regarde, je me suis forcé pour faire ton portrait. Ça m'a pris des heures! Pas mal hein?
AAA...

!
AAATCHOUM!

Oups! Désolé! Chaque fois que j'éternue, je brûle ce que j'ai devant moi!

Aaah! Ces marches sont glissantes!
Au SECOOOOUUURS!!!

Et c'est depuis ce temps que je suis entremêlé, entortillé et noué de partout. C'était vraiment une grosse chute!
Pauvre toi! Moi, ça ne risque pas de m'arriver!

Salut, Germ'Hamster, je me suis dit que tu devais en avoir assez de vomir, alors je suis venu t'apporter un peu de virus de la diarrhée!
Merci, Diarr-Idicule! Je pourrai enfin alterner entre indigestion et problèmes gastriques! Ça me fera du bien.

RETROUVEZ LES TRASHIES
DANS CES AUTRES BD !
Tristan Demers
THE TRASH PACK
BANDE DESSINÉE 1
BRISES D'ORDURES
Tristan Demers
THE TRASH PACK
BANDE DESSINÉE 2
AVENTURES ET MOISISSURES
Tristan Demers
THE TRASH PACK
BANDE DESSINÉE 3
POURRIR DE RIRE
Tristan Demers
THE TRASH PACK
BANDE DESSINÉE 4
ODEUR DE VACANCES